따라 불러요! 한자 모양·뜻·소리 익히기

경쾌한 멜로디와 리듬으로 된 한자 챈트를 듣고 즐겁게 따라 부르게 해 주세요. 처음 한자 공부를 하는 아이도 한자 40자의 모양뿐만 아니라, 한자의 뜻과 소리까지 한 번에 재미있게 익히며 오래 기억할 수 있습니다.

영상을 봐요! 그림으로 한자 연상하기

한자 상형 원리에 따라 만든 그림을 영상으로 생생하게 보여 주세요. 그림 문자가 기원인 한자는 이미지를 활용해 공부하는 것이 효과적이므로, 영상으로 움직이는 그림을 보면 따로 외우지 않아도 한자를 깨칠 수 있습니다.

반복 시청해요! 주제별로 한자 이해하기

챈트 영상을 반복하여 보며 일상생활에서 많이 사용하는 기초 한자를 주제별로 익히게 해 주세요. 손으로 힘들여 쓰지 않아도 한자의 뜻과 소리를 정확하게 알고, 한자가 우리말에서 활용되는 상황을 완벽하게 이해할 수 있습니다.

초능력 쌤과 키우자, 공부힘!

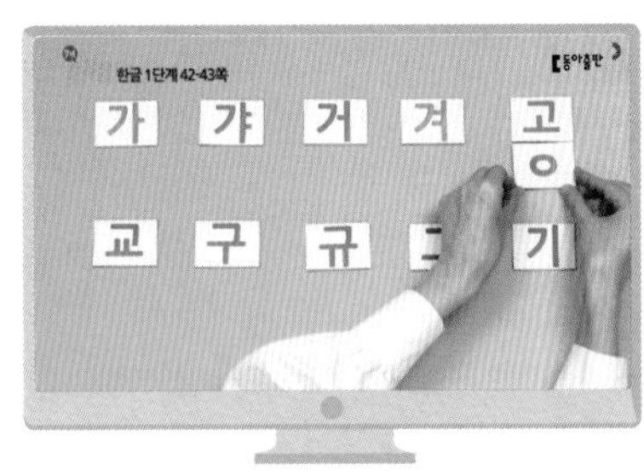

한글 | 글자의 짜임 강의

- 글자 카드를 활용하여 쉽고 재미있게 한글 원리 강의
- 받침과 쌍자음, 복잡한 모음이 들어간 글자 짜임 방식 완벽 이해

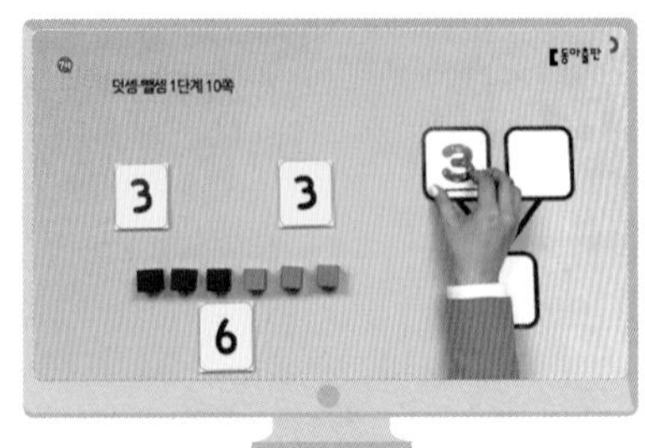

덧셈·뺄셈 | 개념 활동 강의

- 그림과 교구를 활용한 활동으로 덧셈·뺄셈 원리 강의
- 구체물을 활용한 짧고 쉬운 설명으로 덧셈·뺄셈 문제 완벽 이해

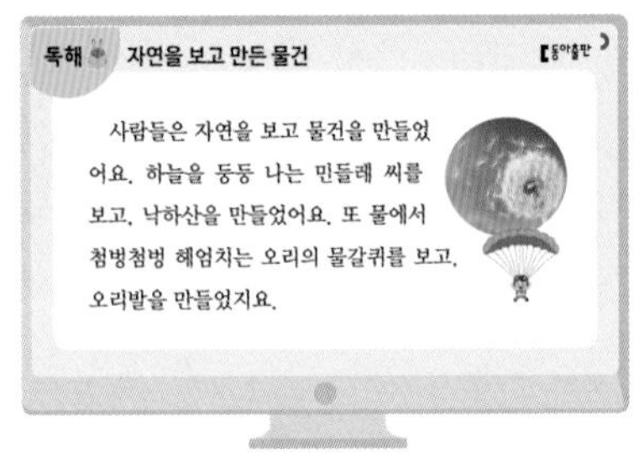

유아 독해 | 비디오북

- 생활 글 전 지문, 동화 전체 수록 작품 비디오북 제공
- 비디오북을 보며 글에 집중하여 따라 읽고 독해력 향상

도형·비교·시계·규칙 | 개념 활동 강의

- 그림과 교구를 활용한 활동으로 도형·비교·시계·규칙 원리 강의
- 구체물을 활용한 짧고 쉬운 설명으로 도형·비교·시계·규칙 문제 완벽 이해

놀이 한자 | 한자 챈트

- 그림으로 상형 문자인 기초 한자를 생생하게 이해
- 한자의 모양·뜻·소리를 동시에 효과적으로 학습

엄마랑 둘이 학습하는 한글 쓰기 / 창의력·집중력

- **한글 쓰기** 실생활에서 많이 쓰이는 132개 낱말의 짜임과 순서를 자세하고 쉽게 이해
- **창의력·집중력** 7세의 창의력과 집중력을 동시에 향상시킬 수 있는 두뇌 계발 교재

놀이 한자

2단계

7세

유아도 **한자 공부**해야 하나요?

한자 공부, **왜** 필요한가요?

20●●년(年) 12월(月) 11일(日) 火曜日 오늘의 日記

한자어는 우리말의 70% 이상을 차지하고 있습니다. 한자의 음과 뜻을 많이 알면 알수록, 우리말에 대한 이해도가 높아집니다. 우리말을 이해하려면 한자 공부가 꼭 필요합니다.

아이들이 일기를 쓸 때 '한 달'은 달을 뜻하는 '月(달 월)'을 쓰고, '하루'는 해를 뜻하는 '日(해 일)'을 씁니다.

이것은 달은 지구 주위를 한 바퀴 도는 데 30일, 즉 한 달이 걸리고, 해는 지구 주위를 한 바퀴 도는 데 1일, 즉 하루가 걸리는 자연 현상을 기준으로 정한 것이기 때문이지요. 이때 '월'이라는 글자가 한자로 '달'을 뜻하고, '일'이라는 글자가 한자로 '해'를 뜻한다는 것을 알면 어휘의 뜻뿐만 아니라 과학 개념까지도 이해할 수 있게 됩니다.

유아 때부터 한자를 공부해야 하나요?

› 둥근 해의 모양을 본떠 '해'를 나타낸 글자

한자는 형성, 회의, 지사 등 다양한 방법으로 만들어집니다. 그중에서도 '日(해 일)', '月(달 월)'과 같은 기본적인 한자들은 대부분 실제 사물의 모양을 본떠 만든 상형 문자이기 때문에 사물의 모양을 나타낸 그림과 한자를 함께 보면 유아도 한자를 쉽게 이해할 수 있습니다. 그래서 언어력이 빠르게 발달하는 유아기부터 한자를 자연스럽게 접하게 해 주시는 것이 좋습니다. 어휘의 뜻을 쉽게 파악하고, 어휘력도 풍부해지는 지름길, 한자 공부입니다.

7세 초능력 놀이 한자로 시작하세요!

1 하루 4쪽 분량으로 부담 없이 빠르게 배울 수 있어요!

- 각 단계별 하루 1글자를 4쪽씩, 20일 동안 빠르게 공부할 수 있도록 구성했습니다.
- 놀이하듯 재미있게 학습하며 한자를 자연스럽게 익힐 수 있습니다.
- 7세의 언어 발달 수준을 고려하여 뽑은 쉬운 한자와 한자가 쓰인 낱말을 익히며 어휘 실력을 다질 수 있습니다.

2 보고 들으며 재미있게 익히고 오랫동안 기억할 수 있어요!

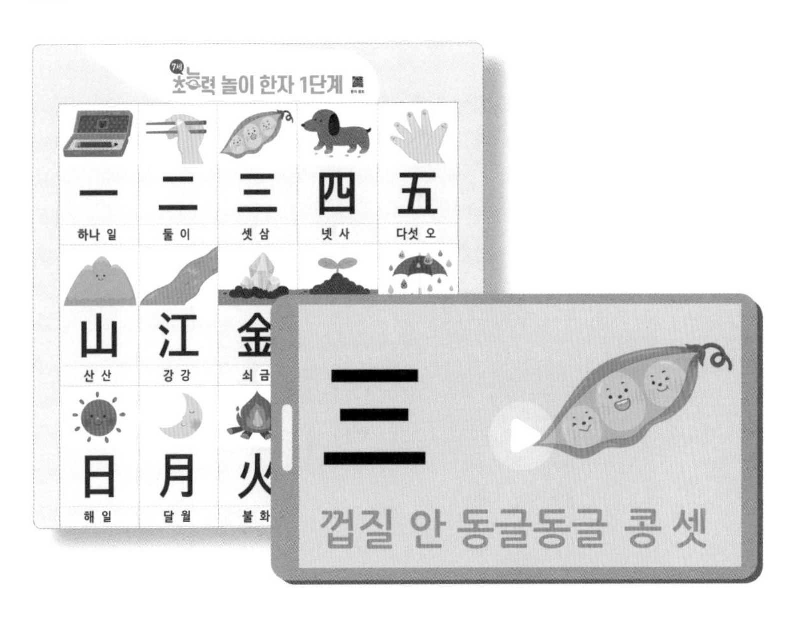

- 단순하면서도 신나는 멜로디로 구성된 한자 챈트 영상을 제공하여 눈과 귀로 한자를 재미있게 익힐 수 있게 하였습니다.
- 챈트 영상 한자를 담은 브로마이드를 보며 배운 한자를 오래 기억하게 하였습니다.

7세

초능력 놀이 한자 이렇게 공부하세요.

1 배울 한자를 익혀요 앞으로 배울 한자를 그림으로 한눈에 볼 수 있습니다.

| 학부모 지도 TIP |
매일매일 한자를 공부한 뒤, 자녀 스스로 알맞은 한자 붙임딱지를 붙이며 학습을 마무리할 수 있도록 해 주세요.

2 노래로 한자를 배워요 한자의 뜻과 소리를 노래로 익힐 수 있습니다.

| 학부모 지도 TIP |
자녀가 한자의 뜻과 소리를 외우도록 하기보다는 한자에 흥미와 재미를 느낄 수 있도록 도와주세요.

3 한자를 익혀요 놀이 학습을 통해 한자와 한자가 쓰인 낱말을 공부하며 어휘력을 기릅니다.

| 학부모 지도 TIP |

자녀가 어려워한다면 부모님께서 자녀와 함께 내용에 대해 묻고 답하며 알맞은 낱말을 고를 수 있게 도와주세요.

4 배운 한자를 정리해요 앞에서 배운 한자와 낱말을 복습하고 한자 실력을 다집니다.

| 학부모 지도 TIP |

한 주제를 모두 학습한 후에 자녀가 잘 기억하지 못하는 한자는 다시 한번 익히고 기억할 수 있도록 해 주세요.

7세 초능력 놀이 한자 2단계 차례

우리 몸을 나타내는 한자

가족을 나타내는 한자

우리 주변을 나타내는 한자

동물과 **식물**을 나타내는 한자

정답 보기

학습을 끝내고 QR 코드를 찍어
정답을 확인하세요.

7세 초능력 놀이 한자 1단계 미리보기

숫자

一 하나 일 二 둘 이 三 셋 삼 四 넷 사 五 다섯 오

자연 1

山 산 산 江 강 강 金 쇠 금 土 흙 토 雨 비 우

자연 2

日 해 일 月 달 월 火 불 화 水 물 수 木 나무 목

위치와 크기

上 위 상 下 아래 하 大 큰 대 中 가운데 중 小 작을 소

우리 몸을 나타내는 한자

우리 몸을 나타내는 한자를 알아보세요. 한자 공부를 끝내고 붙임딱지를 알맞게 붙여요.

노래로 한자를 배워요

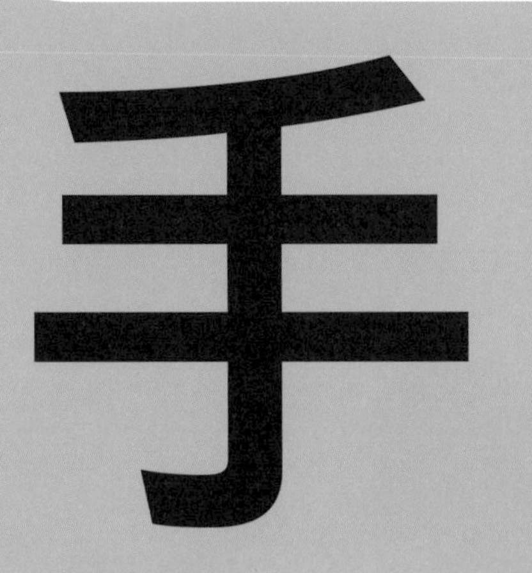

손 수

저요! 하며 드는 손

한자를 차례대로 따라 쓰고, 뜻과 소리를 읽어요.

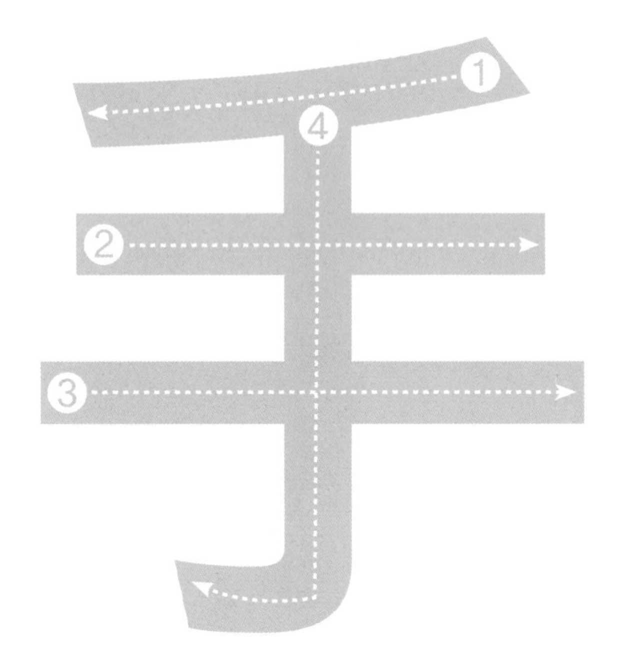

뜻	손
소리	수

手 '손 수'를 찾아요

手 '손 수'를 찾아 따라 써요
手
手
手
手

手 나를 찾아 색칠해요

학부모 지도 TIP | 먼저 자녀와 함께 그림이 나타내는 낱말이 무엇인지 이야기해 보세요. '수건'은 손이나 얼굴, 몸 등을 닦을 때 사용하는 물건이고, '수술'은 의사 선생님이 환자의 병을 고치기 위해 손을 이용해 하는 일이라고 간단하게 설명해 주신 뒤, 두 낱말 모두 손과 관련된 뜻을 가지고 있어 手가 들어간다는 것을 이해시켜 주세요.

나는 손이나 얼굴 등을 닦을 때 사용해. 사람들은 씻은 뒤에 항상 나를 찾아.

手건　　手술

나는 의사 선생님이 아픈 사람들의 병을 고치기 위해서 하는 일이야.

手건　　手술

공부를 다 끝내면 **붙임딱지**에서 手를 찾아 **8~9쪽**에 알맞게 붙여요.

노래로 한자를 배워요

한자 챈트

足

발 족

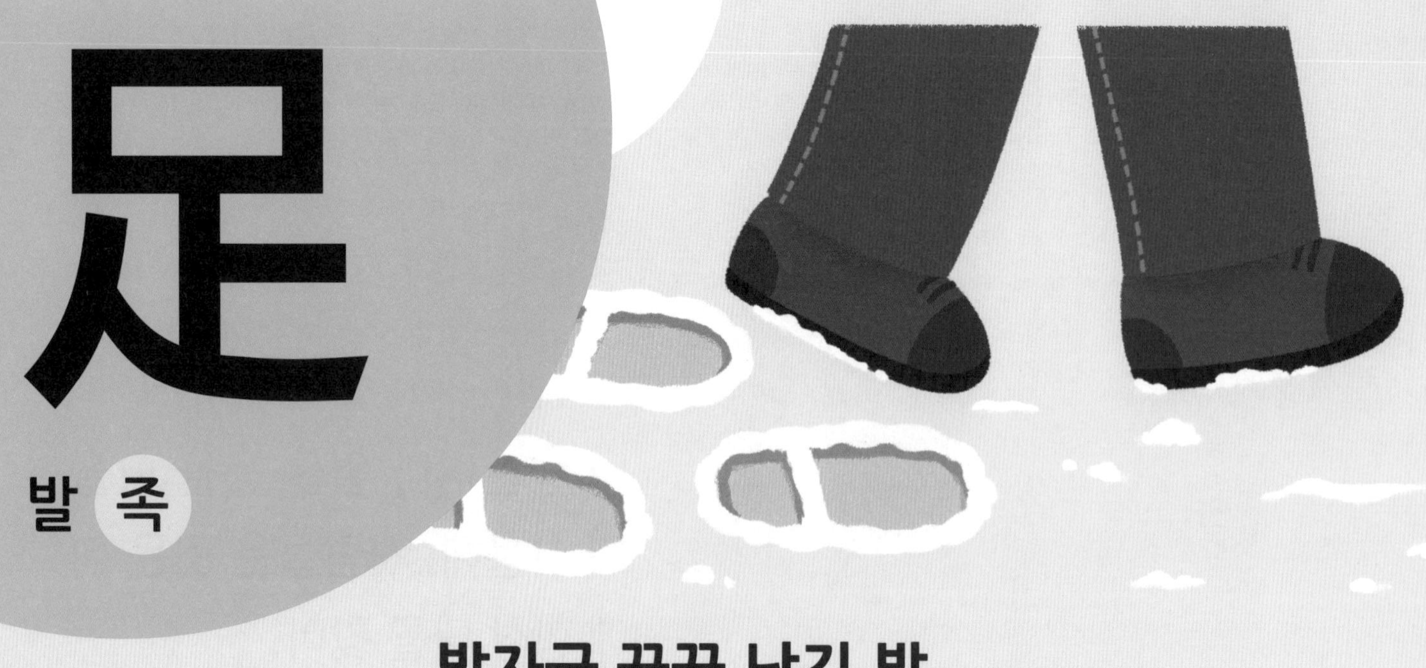

발자국 꾹꾹 남긴 발

발 족, 발 족, 발 족

한자를 차례대로 따라 쓰고, 뜻과 소리를 읽어요.

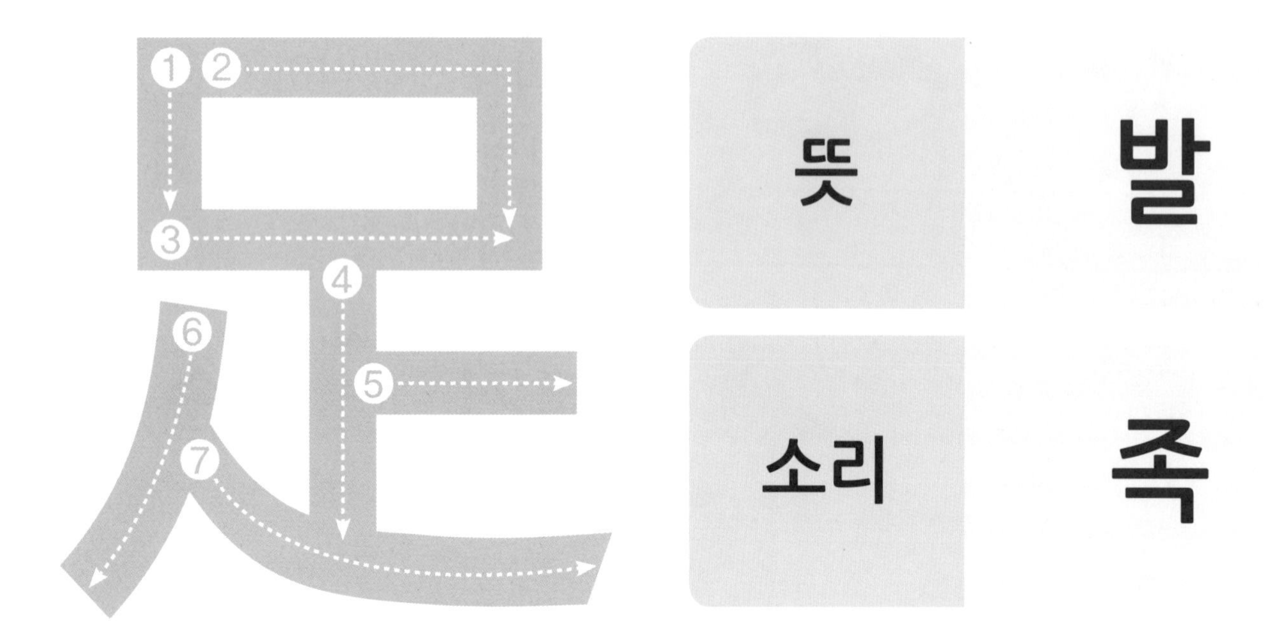

뜻	발
소리	족

足 '발 족'을 찾아요

足 手

足 手 足

足 '발 족'을 찾아 따라 써요

足 나를 찾아 색칠해요

학부모 지도 TIP

자녀에게 足은 '발'이라는 뜻 말고도 '넉넉하다'라는 뜻을 가지고 있다는 것을 먼저 알려 주세요. '만족'과 '부족'은 자녀에게 다소 어려운 낱말이므로 구체적인 예를 들어서 설명해 주세요. 자녀가 가장 만족감을 느꼈던 때는 언제인지, 또 무엇이 부족하다고 느꼈던 때는 언제인지 등을 떠올려 보도록 도와주세요.

나는 무엇이 모자라지 않고 마음에 들 때 쓰는 말이야.

만足 부足

나는 무엇이 모자랄 때 쓰는 말이야. 아이가 세 명인데 빵이 두 개밖에 없을 때 쓸 수 있어.

만足 부足

공부를 다 끝내면 **붙임딱지**에서 足을 찾아 **8~9쪽**에 알맞게 붙여요.

한자를 차례대로 따라 쓰고, 뜻과 소리를 읽어요.

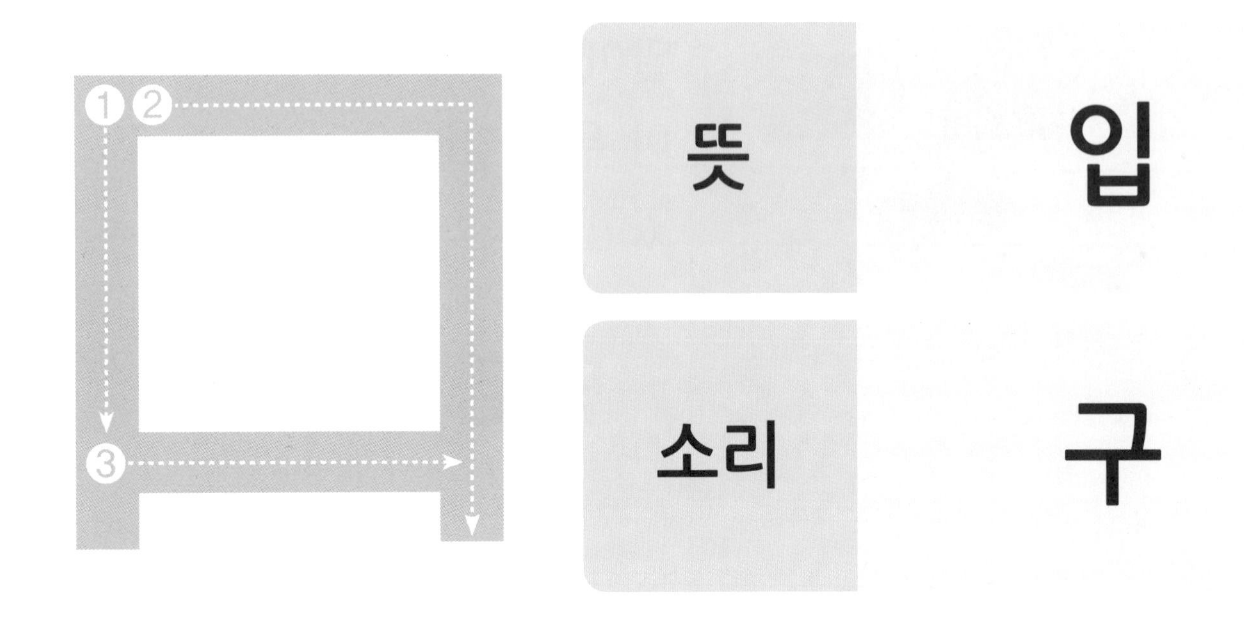

口 '입 구'를 찾아요

口 '입 구'를 찾아 따라 써요

口 나를 찾아 색칠해요

학부모 지도 TIP

口는 입의 모양을 나타낸 한자로, '입'이라는 뜻을 가지고 있지만, '통로'의 뜻도 가지고 있다는 것을 먼저 설명해 주세요. 그런 다음 문제를 풀면서 '식구'에서는 口가 '입'의 뜻을, '입구'에서는 口가 '통로'의 뜻을 가진다는 것을 이해시켜 주세요.

나는 한 집에서 밥을 함께 먹으며 사는 사람들을 말해. 아빠, 엄마, 누나, 동생 모두가 나야.

입口　　식口

나는 사람들이 들어가는 문이야. 건물에 들어가려면 나를 지나서 가야 해.

입口　　식口

공부를 다 끝내면 **붙임딱지**에서 口를 찾아 **8~9쪽**에 알맞게 붙여요.

노래로 한자를 배워요

한자를 차례대로 따라 쓰고, 뜻과 소리를 읽어요.

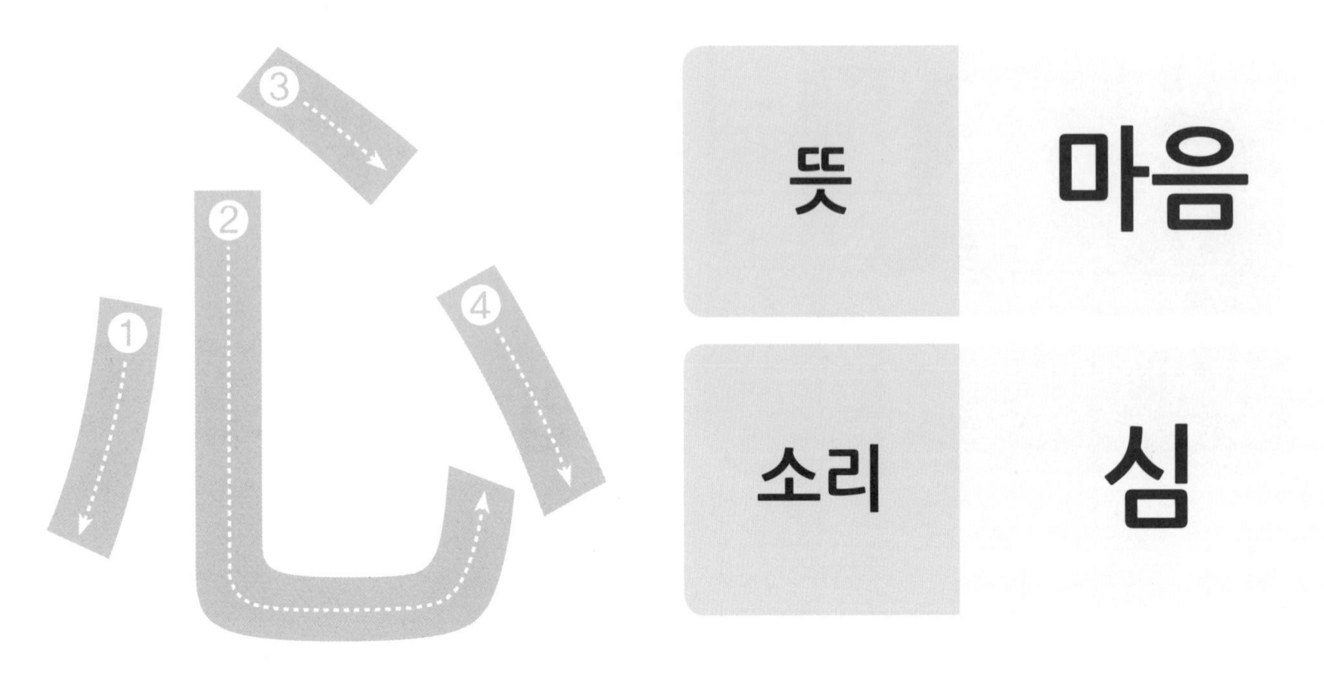

뜻	마음
소리	심

心 '마음 심'을 찾아요

心 '마음 심'을 찾아 따라 써요

心 나를 찾아 색칠해요

학부모 지도 TIP

먼저 자녀가 낱말의 뜻을 제대로 이해할 수 있게 도와주세요. '심장'이 하는 일을 간단하게 설명해 주시고, '관심'은 추상적인 낱말이므로 구체적인 상황을 들어 이해하기 쉽게 설명해 주세요. 그런 다음 두 낱말 모두 '심장'이나 '마음'과 관련된 뜻을 가지고 있어 心이 들어간다는 것을 이해시켜 주세요.

나는 몸의 구석구석까지 피를 보내는 일을 해. 달리기를 할 때 나는 콩닥콩닥 뛰어.

관心 心장

나는 친구나 어떤 물건을 좋아할 때 그 마음을 나타내는 말이야.

관心 心장

공부를 다 끝내면 **붙임딱지**에서 心을 찾아 **8~9쪽**에 알맞게 붙여요.

한자를 차례대로 따라 쓰고, 뜻과 소리를 읽어요.

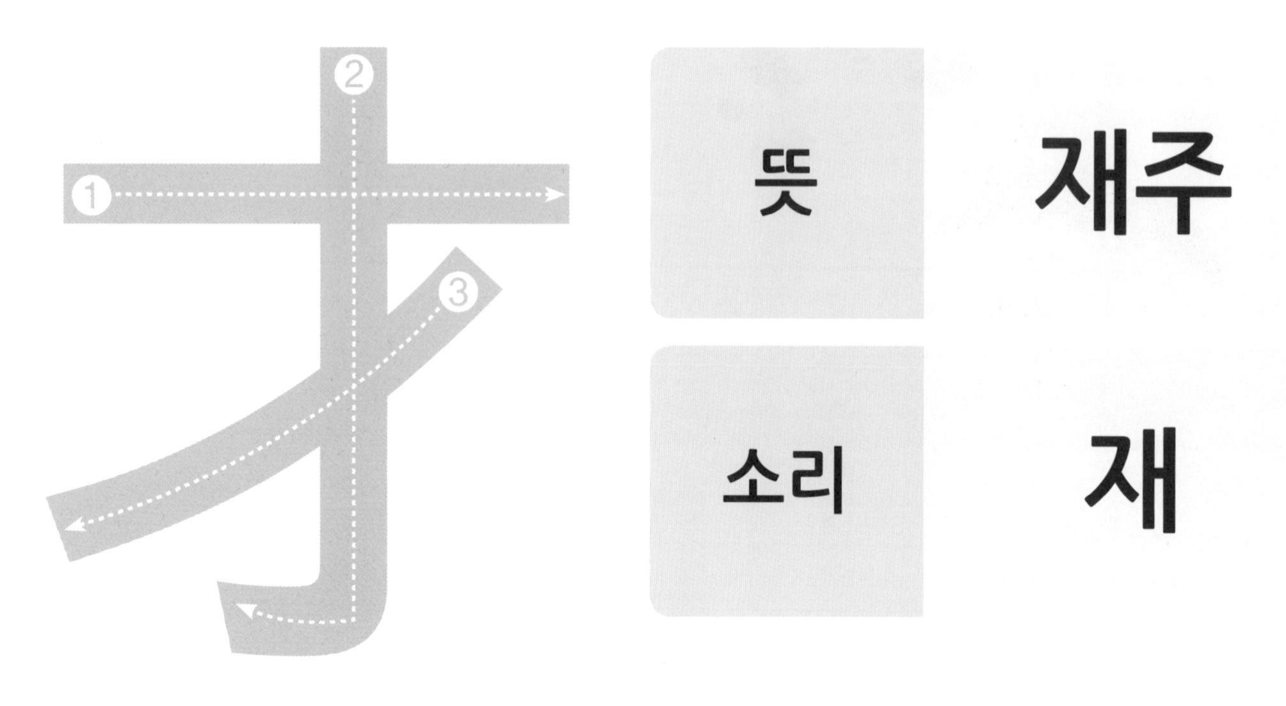

才 '재주 재'를 찾아요

才 '재주 재'를 찾아 따라 써요

才 나를 찾아 색칠해요

학부모 지도 TIP

'재롱'과 '천재' 모두 자녀에게 익숙하지 않은 낱말이므로, 먼저 낱말의 뜻을 쉽게 설명해 주세요. 자녀가 재롱을 부렸던 때를 떠올려 보게 해 주셔도 좋습니다. 두 낱말 모두 사람의 재능이나 재주에 관련된 뜻을 가지고 있어 才가 들어간다는 것도 함께 이해시켜 주세요.

나는 어린아이가 하는 재미있고 귀여운 말과 행동이야. 강아지들도 나를 부릴 때가 있어.

才롱	천才

나는 과학자 아인슈타인처럼 다른 사람들보다 훨씬 뛰어난 재주를 가진 사람이야.

才롱	천才

공부를 다 끝내면 **붙임딱지**에서 才를 찾아 **8~9쪽**에 알맞게 붙여요.

같은 한자를 찾아요

口 心 口 足

心 手 口 心

手 手 才 口

足 心 才 足

길을 찾아가요

바르게 써요

손 수

발 족

입 구

한자 카드를 완성해요

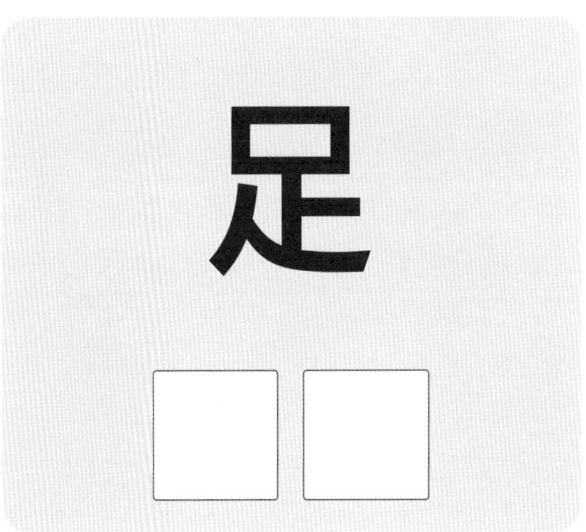

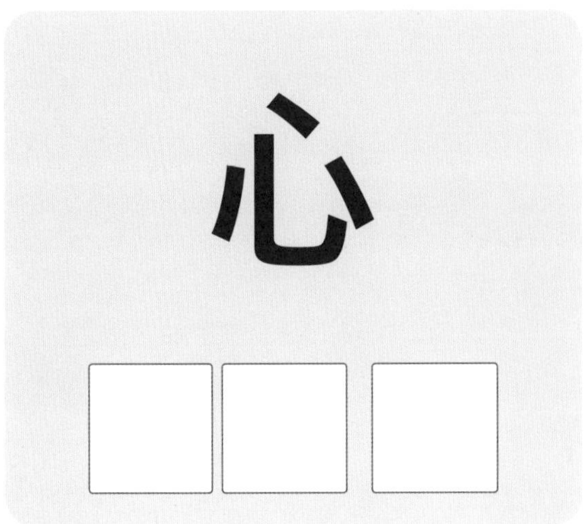

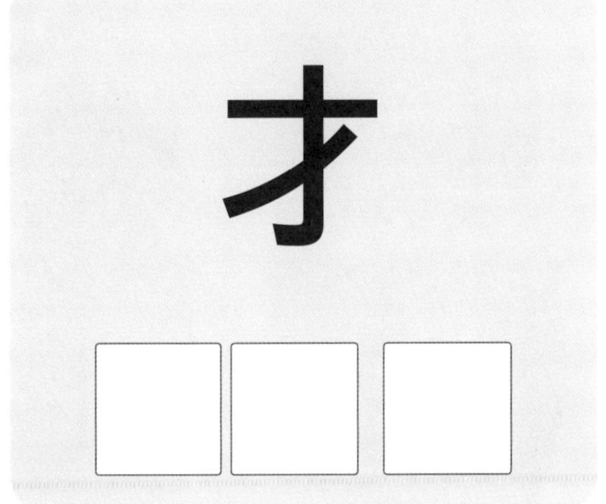

낱말을 만들어요

알맞은 한자를 찾아요

心 足

手 口

가족을 나타내는 한자

가족을 나타내는 한자를 알아보세요. 한자 공부를 끝내고 붙임딱지를 알맞게 붙여요.

노래로 한자를 배워요

한자 챈트

우리를 지켜 주는 아버지

아버지 부, 아버지 부, 아버지 부

한자를 차례대로 따라 쓰고, 뜻과 소리를 읽어요.

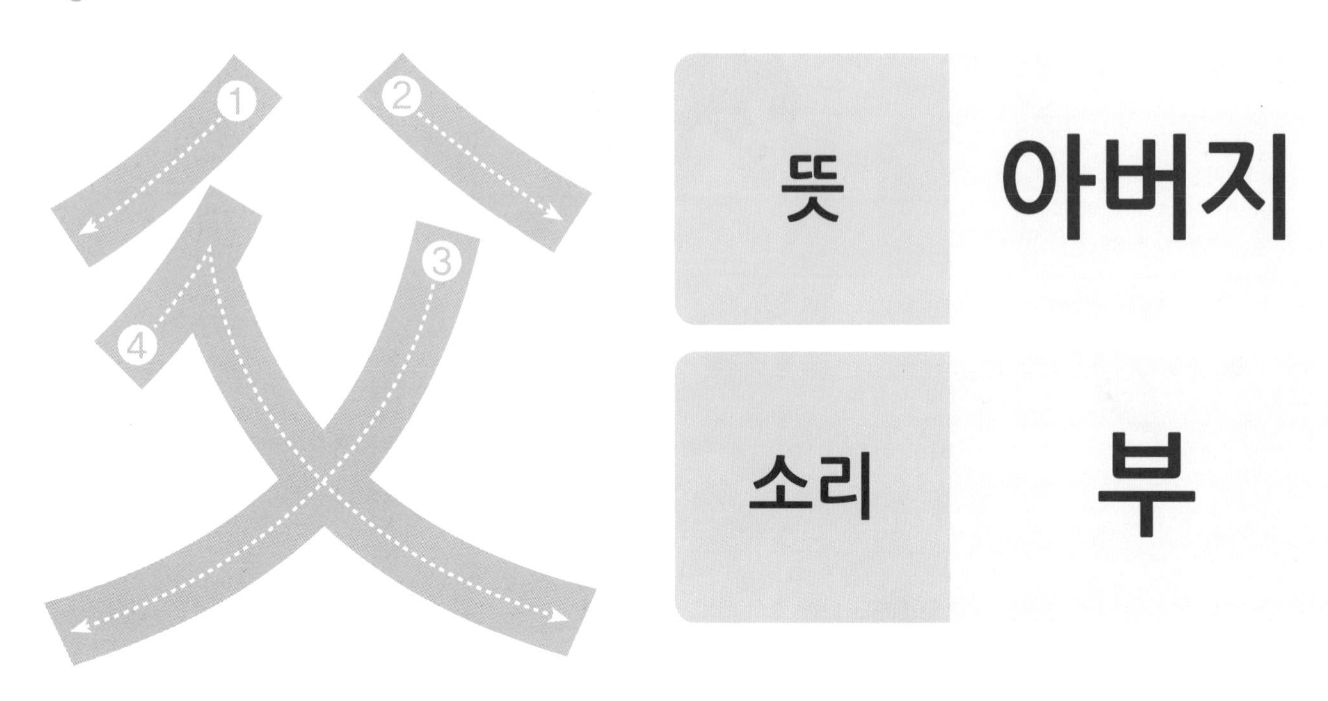

'아버지 부'를 찾아요

父 '아버지 부'를 찾아 따라 써요
父
父
父
父

나를 찾아 색칠해요

학부모 지도 TIP

먼저 그림과 설명을 함께 살펴보며 어떤 낱말을 나타내고 있는지 짐작할 수 있게 해 주세요. 자녀가 '부모'와 '부자'의 뜻에 대해 정확히 이해하면 父가 들어간 '부녀'(아버지와 딸)와 같은 낱말도 추가로 알려 주셔서 父가 '아버지'를 뜻한다는 것을 정확하게 기억할 수 있도록 도와주세요.

나는 아버지와 어머니를 함께 부르는 말이야.
5월 8일은 나의 날이야.

父자 父모

나는 아버지와 아들이야.
서로 닮은 아버지와 아들을 보고 붕어빵 같은 나라고 말해.

父자 父모

공부를 다 끝내면 **붙임딱지**에서 父를 찾아 **36~37쪽**에 알맞게 붙여요.

노래로 한자를 배워요

어머니 모

우리를 안아 주는 어머니

어머니 모, 어머니 모, 어머니 모

한자를 차례대로 따라 쓰고, 뜻과 소리를 읽어요.

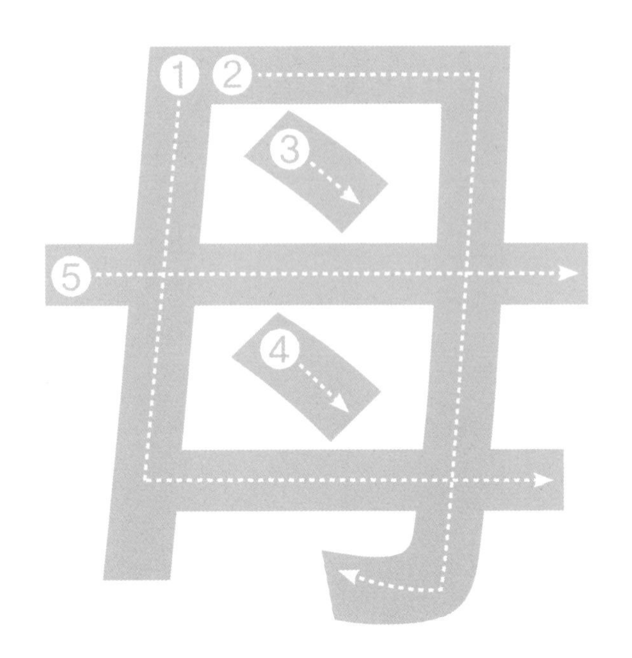

뜻	어머니
소리	모

母 '어머니 모'를 찾아요

母 '어머니 모'를 찾아 따라 써요

母 나를 찾아 색칠해요

학부모 지도 TIP

먼저 자녀가 알고 있는 실제 인물을 대입시켜서 '모녀'와 '이모'의 뜻을 쉽게 설명해 주세요. 그런 다음 두 낱말 모두 어머니와의 관계를 뜻하는 말이기 때문에 母가 들어간다는 것을 이해시켜 주세요. 특히, 母는 앞에서 배운 父와 짝을 이루어 기억할 수 있도록 도와주세요.

나는 어머니와 딸을 말해.
어머니와 아들은 '모자'라고
하지.

母녀 이母

나는 어머니의 여자 형제야.
어머니의 언니나 여동생을
나라고 부르면 돼.

母녀 이母

공부를 다 끝내면 **붙임딱지**에서 母를 찾아 36~37쪽에 알맞게 붙여요.

한자를 차례대로 따라 쓰고, 뜻과 소리를 읽어요.

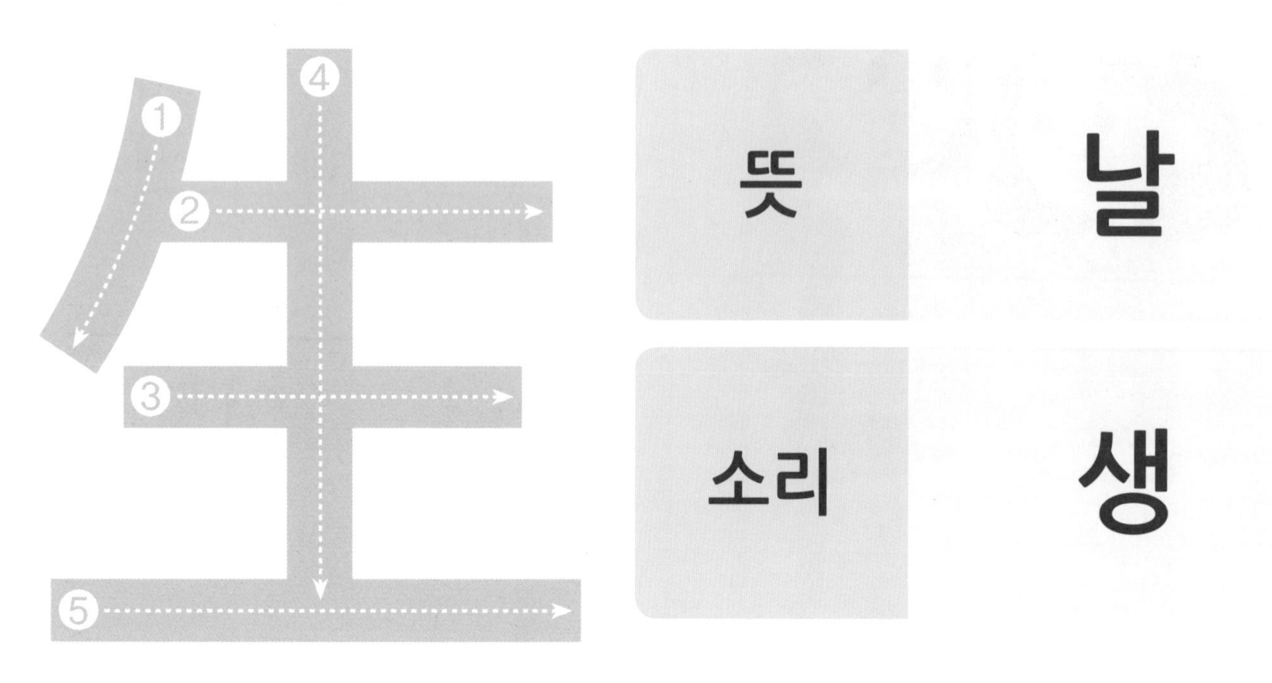

生 '날 생'을 찾아요

生 '날 생'을 찾아 따라 써요

生 나를 찾아 색칠해요

학부모 지도 TIP | 자녀와 함께 그림과 설명을 보며 어떤 낱말을 나타내고 있는지 짐작할 수 있도록 도와주세요. '동생'과 '학생' 모두 자녀가 알고 있는 실제 인물을 예로 들어 설명해 주시면 낱말의 뜻을 훨씬 쉽게 이해할 수 있습니다.

나는 같은 부모님이 낳아 주신 자식들 중에서 나이가 어린 사람이야.

학生　동生

나는 학교에 다니면서 공부를 하는 사람이야. 나는 나이가 어릴 수도 있고, 많을 수도 있어.

학生　동生

공부를 다 끝내면 **붙임딱지**에서 生을 찾아 **36~37쪽**에 알맞게 붙여요.

한자를 차례대로 따라 쓰고, 뜻과 소리를 읽어요.

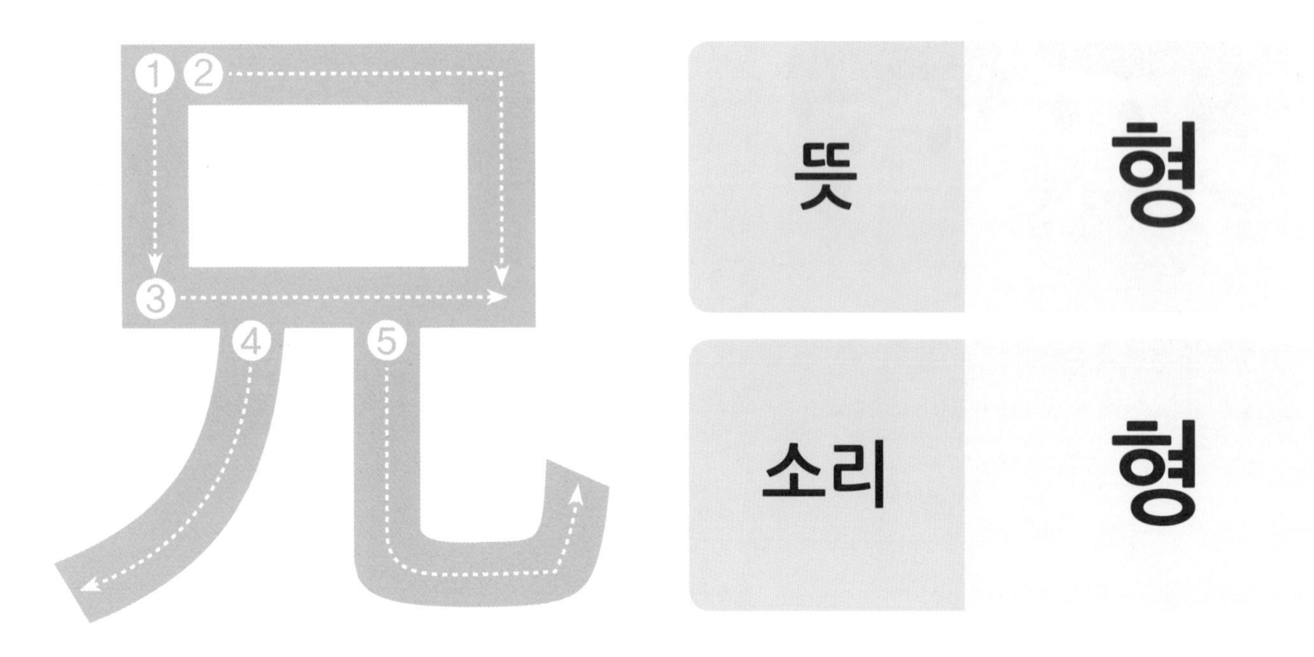

兄 '형 형'을 찾아요

兄 '형 형'을 찾아 따라 써요

兄

兄

버스

兄

兄

兄 나를 찾아 색칠해요

학부모 지도 TIP

'형제'는 형과 동생을 뜻하고, '맏형'은 형제들 사이에서 제일 큰 형을 뜻하는 낱말로 모두 兄과 관련 있는 낱말이라는 것을 이해시켜 주세요. 자녀가 알고 있는 실제 인물을 예로 들어 이야기해 보면서 자연스럽게 기억할 수 있도록 도와주세요.

나는 같은 부모님 밑에서 태어난 형과 동생을 말해. 흥부와 놀부도 나야.

맏兄 兄제

나는 형제들 사이에서 제일 큰 형이야. 나는 동생들을 잘 돌보아 주어야 해.

맏兄 兄제

공부를 다 끝내면 **붙임딱지**에서 兄을 찾아 **36~37쪽**에 알맞게 붙여요.

노래로 한자를 배워요

한자 챈트

사람 인

기대어 선 두 사람

사람 인, 사람 인, 사람 인

한자를 차례대로 따라 쓰고, 뜻과 소리를 읽어요.

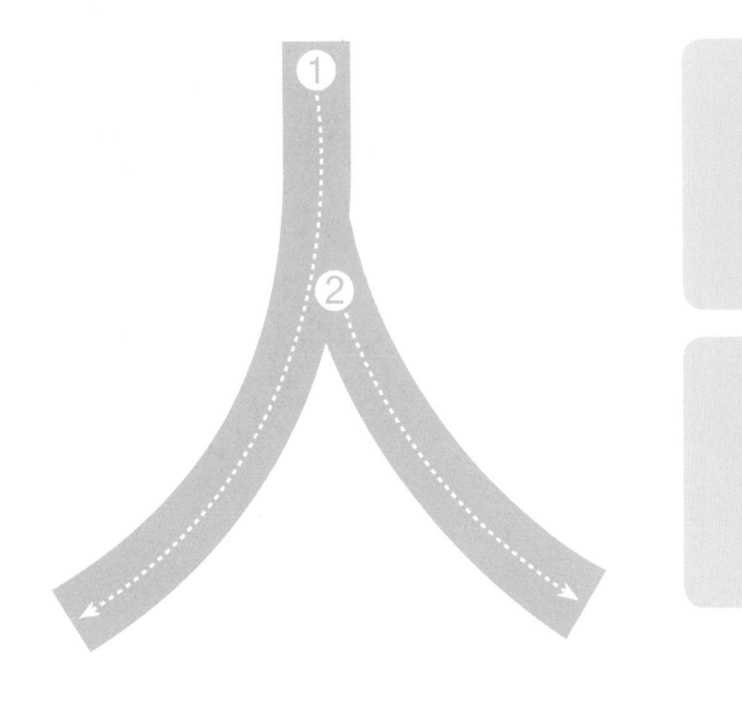

뜻	사람
소리	인

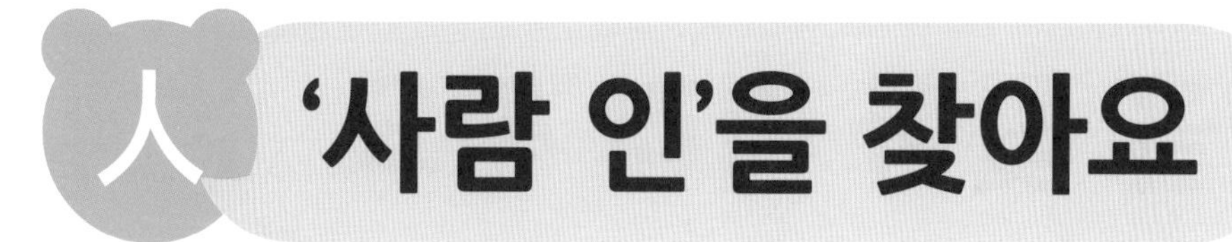
人 '사람 인'을 찾아요

人
父
人
兄
人

人 '사람 인'을 찾아 따라 써요
人
亻
人
人

나를 찾아 색칠해요

학부모 지도 TIP | '인형'은 사람 모양을 본떠 만든 장난감이고, '군인'은 우리나라를 지키는 사람입니다. 자녀에게 '인형'과 '군인' 모두 '사람'이라는 뜻과 관련이 있어서 人이 공통적으로 들어간다는 것을 이해시켜 주세요.

나는 사람이나 동물 모양으로 만든 장난감이야. 어린아이들이 나를 특히 좋아해.

人형	군人

나는 우리나라를 지키는 사람이야. 나는 하늘, 바다, 땅을 나누어 지키고 있어.

人형	군人

공부를 다 끝내면 **붙임딱지**에서 人을 찾아 **36~37쪽**에 알맞게 붙여요.

같은 한자를 찾아요

生 手 生 心

母 口 兄 母

人 才 父 人

兄 兄 母 足

길을 찾아가요

바르게 써요

아버지 부

어머니 모

사람 인

한자 카드를 완성해요

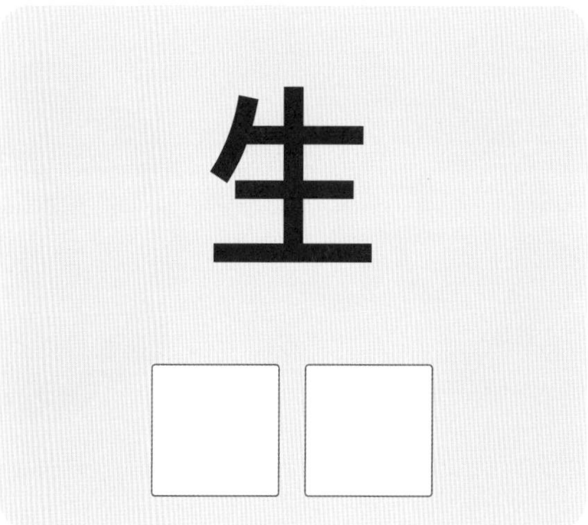

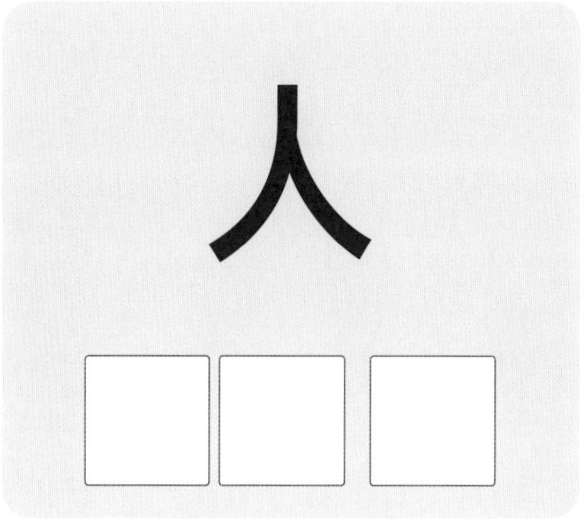

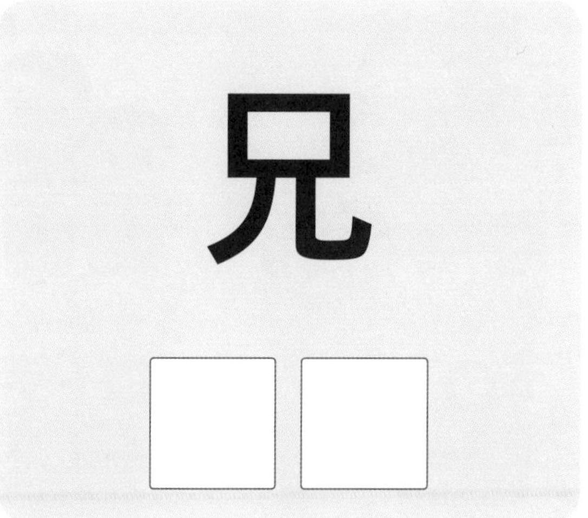

낱말을 만들어요

알맞은 한자를 찾아요

人 兄

生 父

우리 주변을 나타내는 한자

우리 주변을 나타내는 한자를 알아보세요. 한자 공부를 끝내고 붙임딱지를 알맞게 붙여요.

한자를 차례대로 따라 쓰고, 뜻과 소리를 읽어요.

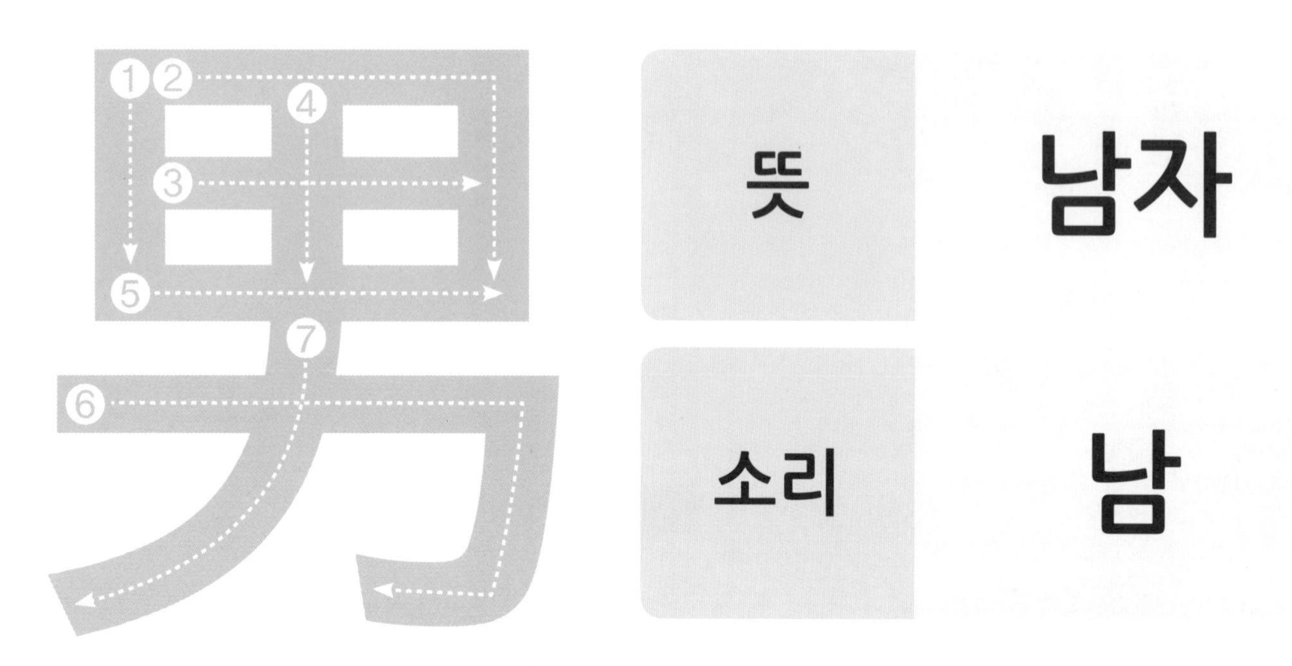

뜻	남자
소리	남

男 '남자 남'을 찾아요

男 '남자 남'을 찾아 따라 써요

男 나를 찾아 색칠해요

학부모 지도 TIP

'남매'는 한 부모가 낳은 아들과 딸입니다. 그리고 '남녀'는 남자와 여자를 아울러 이르는 말로, 가장 가까운 예로 부모님을 들 수 있습니다. 낱말의 사전적인 의미를 그대로 설명해 주시기보다는 자녀에게 친근한 사람을 예로 들어서 설명해 주시면 더 쉽게 이해할 수 있습니다.

나는 남자와 여자를 한 번에 이르는 말이야.

男매 男녀

나는 남자와 여자 형제를 말해. 『해와 달이 된 오누이』에서 '오누이'가 다른 말로 나야.

男매 男녀

공부를 나 끝내면 **붙임딱지**에서 男을 찾아 **64~65쪽**에 알맞게 붙여요.

한자를 차례대로 따라 쓰고, 뜻과 소리를 읽어요.

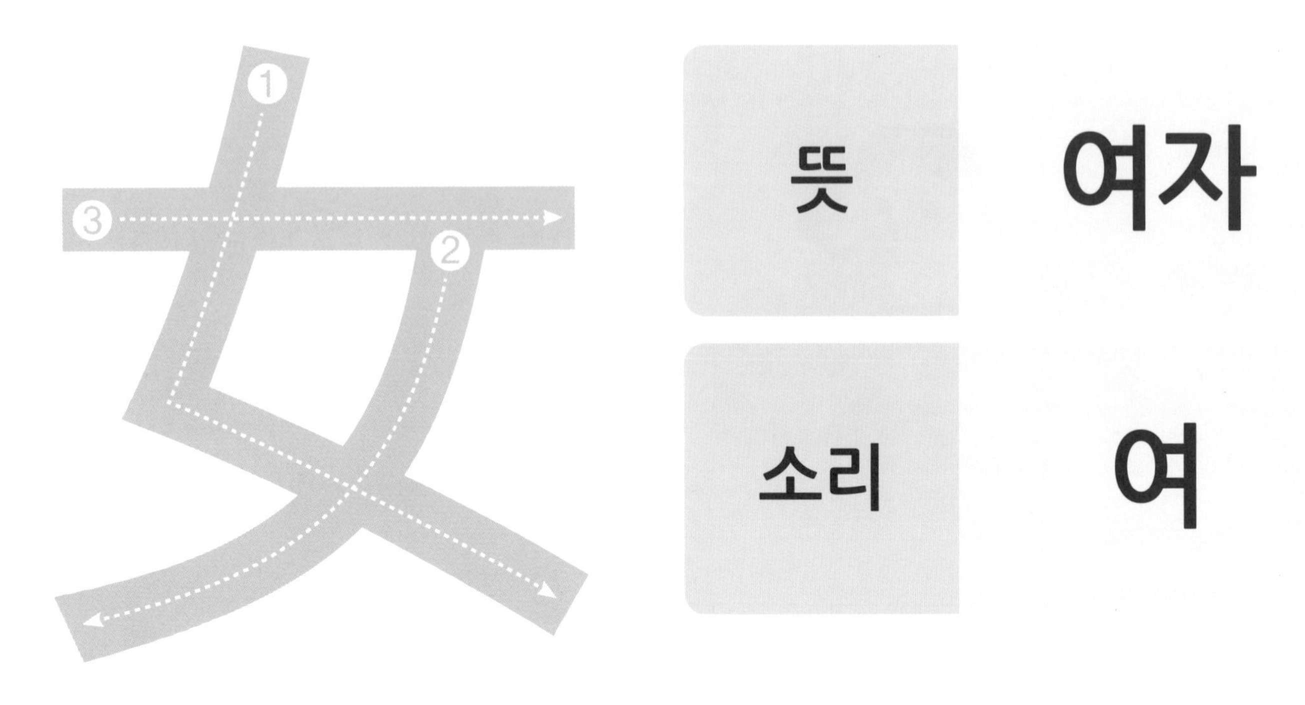

뜻	여자
소리	여

女 '여자 여'를 찾아요

女 '여자 여'를 찾아 따라 써요
女
女
女
女

女 나를 찾아 색칠해요

학부모 지도 TIP

女는 '여자'라는 뜻 말고도 '딸'이라는 뜻도 가진다는 것을 먼저 알려 주세요. 그런 다음 '해녀'는 바다에서 일하는 여자, '손녀'는 아들이나 딸의 딸을 뜻하기 때문에 女가 공통적으로 들어간다는 것을 이해시켜 주세요. 그리고 女는 낱말의 맨 앞에 올 때는 '여'로 쓰고, 그 외에는 '녀'로 쓴다는 것을 추가적으로 알려주세요.

나는 아들의 딸이나 딸의 딸을 말해. 반대로 아들이나 딸의 아들은 '손자'라고 하지.

해女 손女

나는 바닷속으로 들어가서 해산물을 잡고 모으는 일을 하는 여자야.

해女 손女

공부를 다 끝내면 **붙임딱지**에서 女를 찾아 **64~65쪽**에 알맞게 붙여요.

노래로 한자를 배워요

임금 왕

번쩍번쩍 왕관 쓴 임금

임금 왕, 임금 왕, 임금 왕

한자를 차례대로 따라 쓰고, 뜻과 소리를 읽어요.

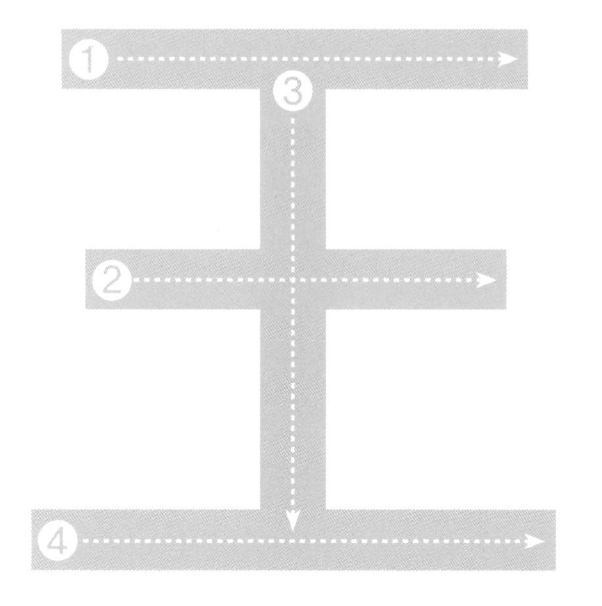

뜻	임금
소리	왕

'임금 왕'을 찾아요

王 '임금 왕'을 찾아 따라 써요

王

王

王

王

王 나를 찾아 색칠해요

학부모 지도 TIP

자녀가 그림이 어떤 낱말을 나타내고 있는지 먼저 짐작해 보도록 도와주시고, 알맞은 낱말을 찾아 색칠할 수 있도록 해 주세요. 그런 다음 '왕자'와 '왕관'에 공통으로 들어가는 王은 임금의 힘을 상징하는 도끼를 나타낸 글자로 '임금'이라는 뜻을 가진다는 것을 이해시켜 주세요.

나는 임금의 아들이야.
나는 어린 남자아이를 귀엽게 부르는 말이기도 해.

王자 王관

나는 나라에 중요한 일이 있을 때 임금이 머리에 쓰는 물건이야.

王자 王관

공부를 다 끝내면 **붙임딱지**에서 王을 찾아 **64~65쪽**에 알맞게 붙여요.

노래로 한자를 배워요

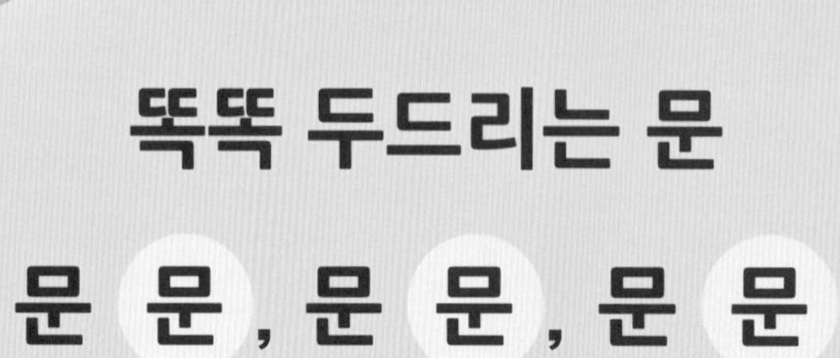

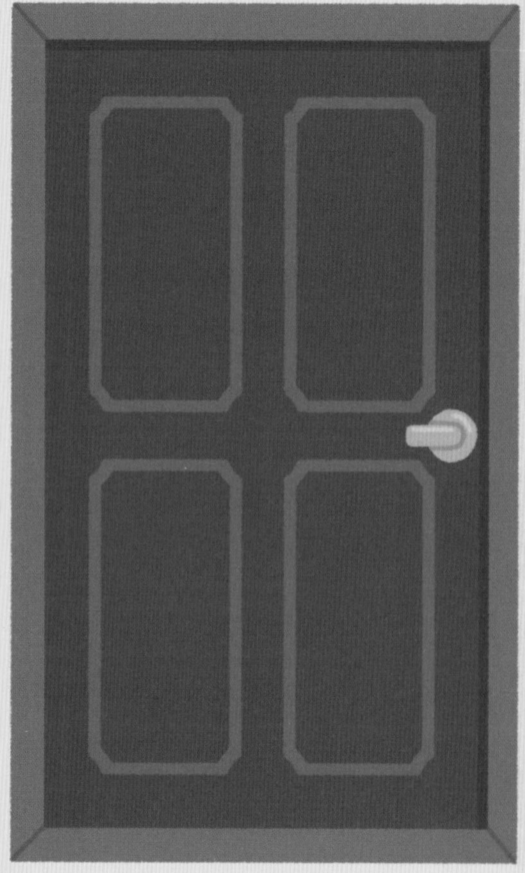

똑똑 두드리는 문

문 문, 문 문, 문 문

한자를 차례대로 따라 쓰고, 뜻과 소리를 읽어요.

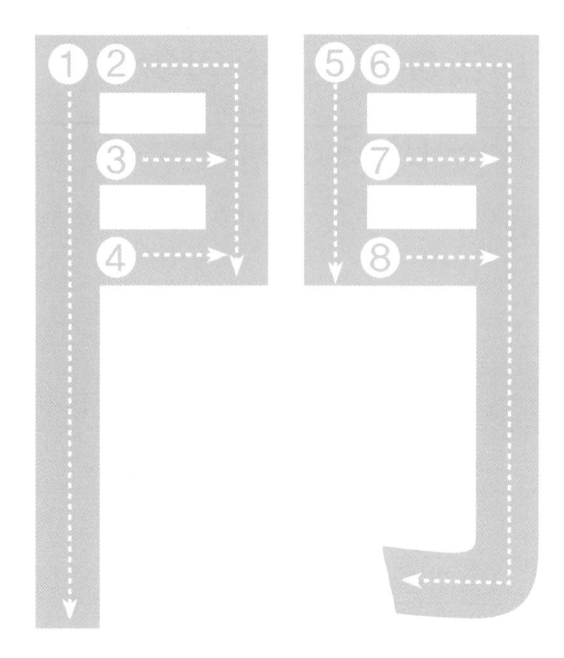

문

문

門 '문 문'을 찾아요

門 '문 문'을 찾아 따라 써요

門 나를 찾아 색칠해요

학부모 지도 TIP | 먼저 자녀가 그림과 설명에 알맞은 낱말을 찾아 색칠할 수 있도록 도와주세요. 그런 다음 門은 문이 두 개인 대문을 나타낸 글자로, '문'을 뜻한다는 것을 설명해 주세요. '교문', '창문' 외에도 '대문', '방문' 등 자녀에게 익숙한 여러 가지 문에 대해 이야기해 보며 글자를 쉽게 기억할 수 있도록 도와주세요.

나는 벽에 있는 유리로 된 문이야. 나를 열면 빛이나 바람이 안으로 들어와.

교門 창門

나는 학교의 문이야. 나를 통해서 학교에 들어오거나 나갈 수 있어.

교門 창門

공부를 다 끝내면 **붙임딱지**에서 門을 찾아 **64~65쪽**에 알맞게 붙여요.

노래로 한자를 배워요

한자 챈트

한자를 차례대로 따라 쓰고, 뜻과 소리를 읽어요.

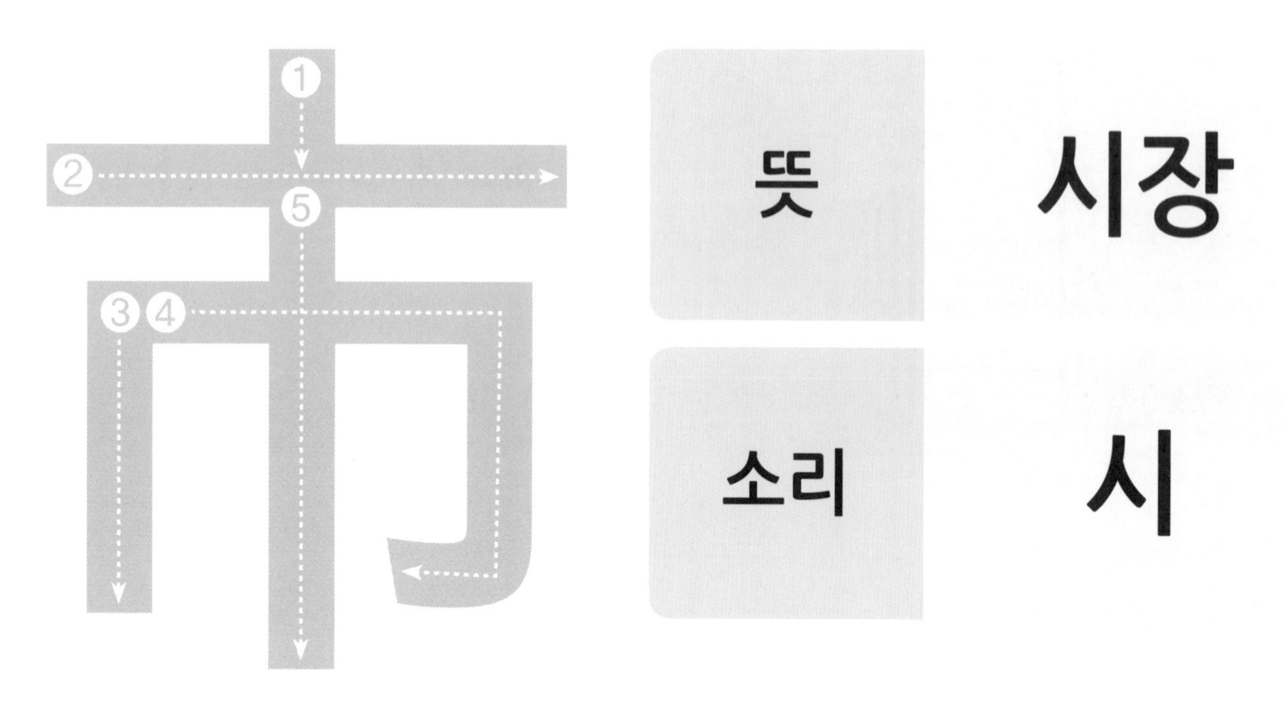

市 '시장 시'를 찾아요

市 '시장 시'를 찾아 따라 써요

市 나를 찾아 색칠해요

학부모 지도 TIP | 자녀에게 市는 시장에 있는 깃발을 나타낸 글자로, '물건을 사고파는 곳'을 뜻하기도 하지만, '사람이 많고 발전된 곳'이라는 뜻도 가지고 있다는 것을 먼저 설명해 주세요. 그런 다음 문제를 풀면서 '시장'에서는 市가 '물건을 사고파는 곳'의 뜻을, '도시'에서는 市가 '사람이 많고 발전된 곳'의 뜻을 가진다는 것을 이해시켜 주세요.

나는 여러 가지 물건들을 사고파는 곳이야. 언제나 많은 사람이 나에게 오고가지.

市장　　도市

나는 사람이 많이 사는 발전된 곳이야. 서울은 우리나라의 대표적인 나야.

市장　　도市

공부를 다 끝내면 **붙임딱지**에서 市를 찾아 **64~65쪽**에 알맞게 붙여요.

같은 한자를 찾아요

王	生	口	王
市	兄	市	人
門	母	才	門
女	女	男	王

길을 찾아가요

바르게 써요

한자 카드를 완성해요

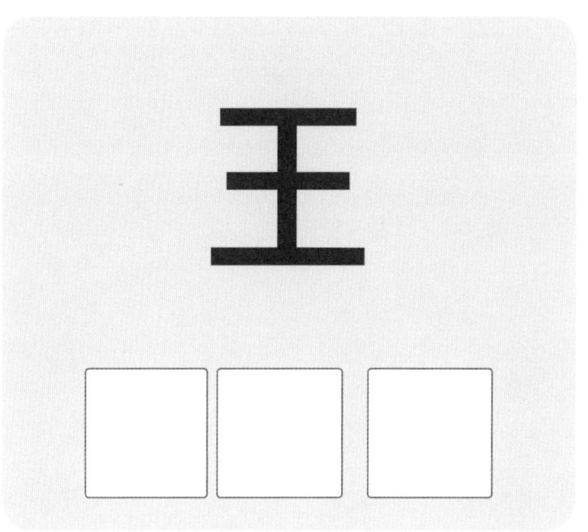

市

낱말을 만들어요

알맞은 한자를 찾아요

市 門

王 女

동물과 식물을 나타내는 한자

동물과 식물을 나타내는 한자를 알아보세요. 한자 공부를
끝내고 붙임딱지를 알맞게 붙여요.

노래로 한자를 배워요

한자 챈트

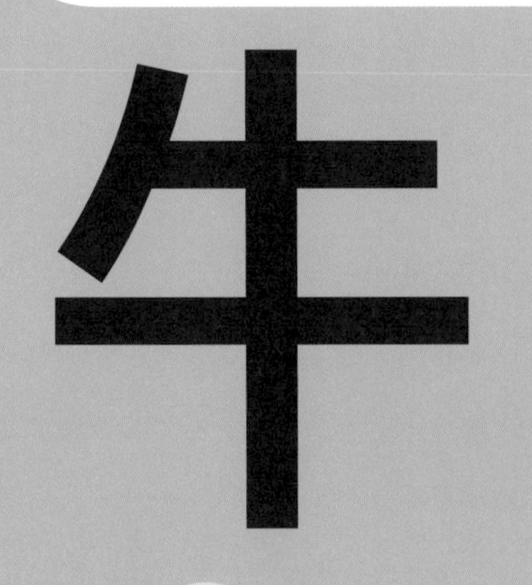

소 우

음매 하고 우는 소

소 우, 소 우, 소 우

한자를 차례대로 따라 쓰고, 뜻과 소리를 읽어요.

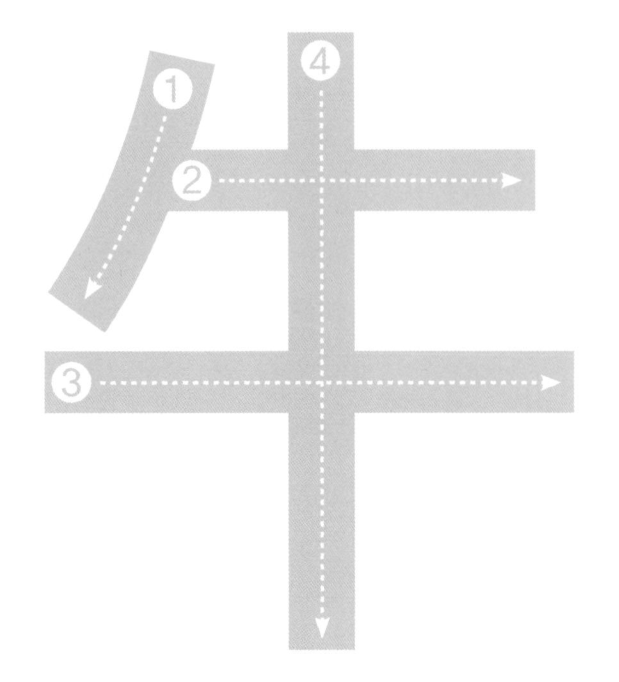

뜻	소
소리	우

牛 '소 우'를 찾아요

牛 '소 우'를 찾아 따라 써요
牛
牛
牛
牛

牛 나를 찾아 색칠해요

학부모 지도 TIP | 먼저 牛는 뿔이 난 소의 얼굴을 나타낸 글자로, '소'를 뜻한다는 것을 설명해 주세요. '우유'는 소의 젖이고, '한우'는 한국에서 자란 소이기 때문에 '소'를 뜻하는 牛가 두 낱말에 공통으로 들어간다는 것을 이해시켜 주세요.

나는 소의 젖이야.
나를 이용해서 치즈, 아이스크림을 만들 수 있어.

牛유	한牛

나는 한국에서 태어나고 자란 소야. 옛날에는 농사일을 할 때 나를 주로 사용했어.

牛유	한牛

공부를 다 끝내면 **붙임딱지**에서 牛를 찾아 **92~93쪽**에 알맞게 붙여요.

노래로 한자를 배워요

물고기 어

팔딱팔딱 뛰는 물고기

물고기 어, 물고기 어, 물고기 어

한자를 차례대로 따라 쓰고, 뜻과 소리를 읽어요.

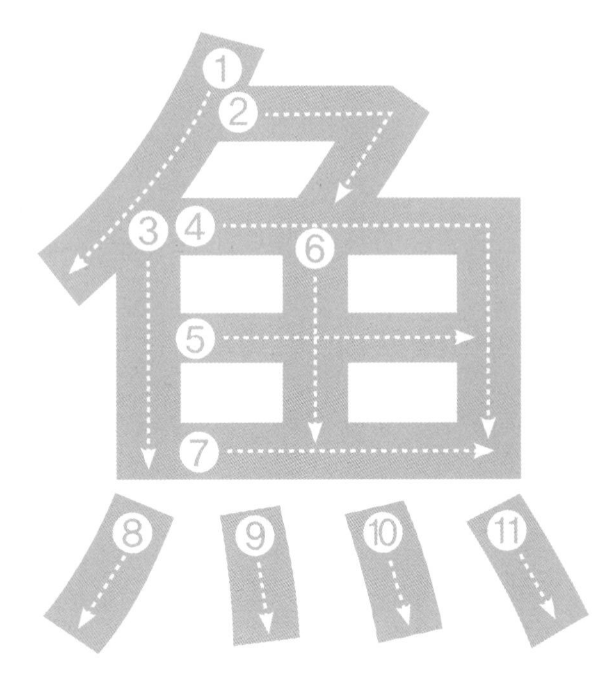

뜻	물고기
소리	어

魚 '물고기 어'를 찾아요

魚 '물고기 어'를 찾아 따라 써요

魚 나를 찾아 색칠해요

학부모 지도 TIP | 먼저 '인어'와 '어항' 두 낱말의 뜻을 쉽게 설명해 주세요. 자녀가 동화 『인어공주』를 떠올려 볼 수 있도록 도와주시고, 실제 어항 사진을 보여 주며 '어항'의 뜻을 설명해 주셔도 좋습니다. 그런 다음 두 낱말 모두 '물고기'라는 뜻과 관련이 있어 魚가 공통으로 들어가는 점을 이해시켜 주세요.

나는 동화 속에 나오는 상상의 인물이야. 허리 윗부분은 사람, 아랫부분은 물고기의 모습을 하고 있어.

魚항 인魚

나는 물고기를 기를 때 쓰는 항아리야. 내 안에 있는 물고기가 잘 보이도록 나는 보통 유리로 만들어져.

魚항 인魚

공부를 다 끝내면 **붙임딱지**에서 魚를 찾아 92~93쪽에 알맞게 붙여요.

노래로 한자를 배워요

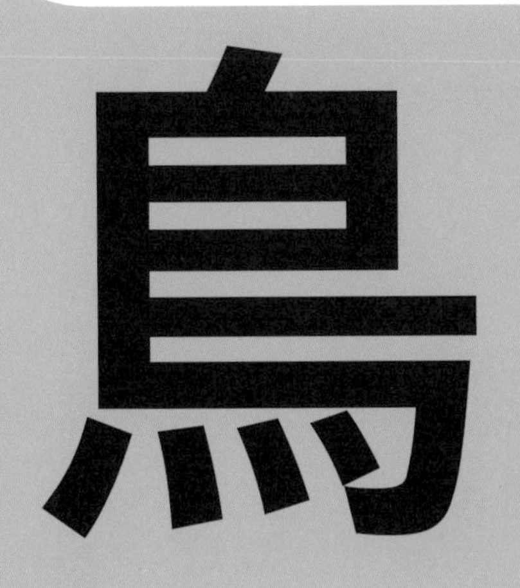

새 조

하늘을 훨훨 나는 새

새 조, 새 조, 새 조

한자를 차례대로 따라 쓰고, 뜻과 소리를 읽어요.

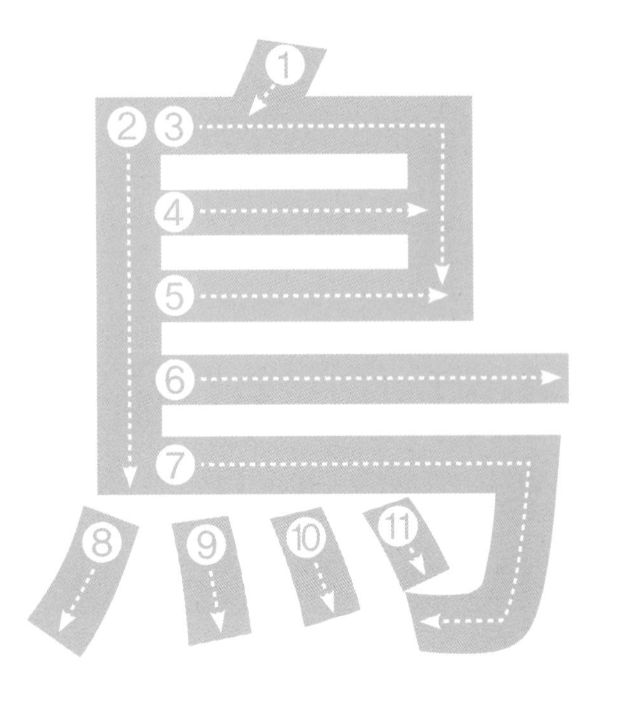

뜻	새
소리	조

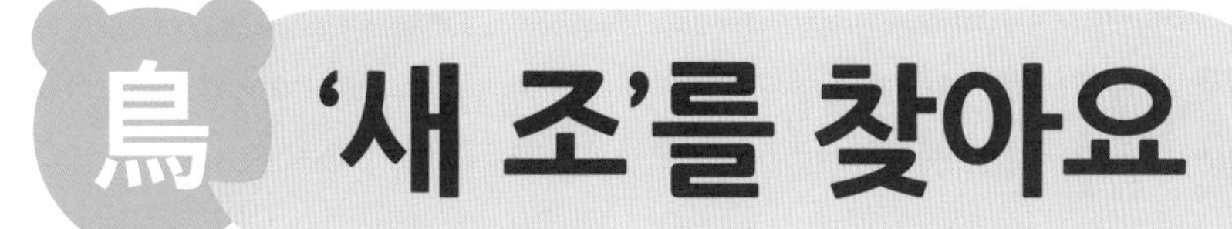

鳥 '새 조'를 찾아요

鳥 '새 조'를 찾아 따라 써요
鳥
鳥
鳥
鳥

鳥 나를 찾아 색칠해요

학부모 지도 TIP

'백조'와 '타조' 모두 자녀에게 실물 사진을 직접 보여 주며 설명해 주세요. 그런 다음 자녀가 그림과 설명에 알맞은 낱말을 찾아 색칠할 수 있도록 도와주세요. '백조'와 '타조' 모두 새의 한 종류이기 때문에 鳥가 들어간다는 것을 이해시켜 주세요.

나는 물에 사는 온몸이 하얀 새야. 오리와 비슷하지만 몸집이 훨씬 커.

백鳥	타鳥

나는 날지 못하는 새 중에서 가장 빨리 달리는 새야. 매우 긴 목과 다리를 가졌어.

백鳥	타鳥

공부를 다 끝내면 **붙임딱지**에서 鳥를 찾아 92~93쪽에 알맞게 붙여요.

노래로 한자를 배워요

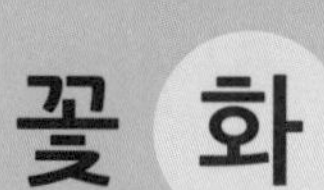

알록달록 예쁜 꽃

꽃 화, 꽃 화, 꽃 화

한자를 차례대로 따라 쓰고, 뜻과 소리를 읽어요.

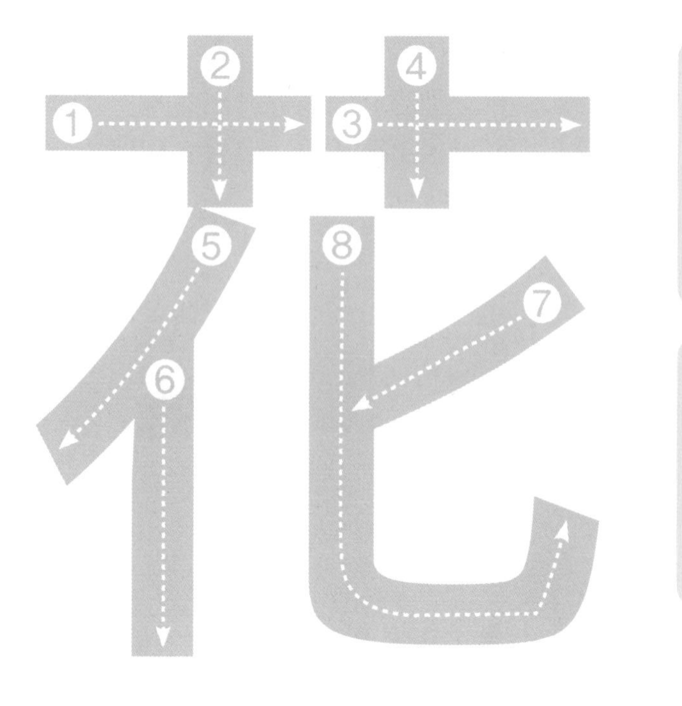

뜻	꽃
소리	화

花 '꽃 화'를 찾아요

花 '꽃 화'를 찾아 따라 써요
花
花
花
花

花 나를 찾아 색칠해요

학부모 지도 TIP

'무궁화'는 꽃의 종류, '화분'은 꽃을 담는 그릇이기 때문에 '꽃'을 뜻하는 花가 공통으로 들어간다는 것을 자녀가 이해할 수 있게 도와주세요. 그런 다음 장미, 국화, 해바라기 등 자녀가 아는 꽃의 종류에 대해 더 이야기해 보면서 花를 자연스럽게 기억할 수 있도록 지도해 주세요.

나는 우리나라를 대표하는 꽃이야. 나는 새벽 일찍 피고, 저녁에는 시들어.

花분 무궁花

나는 꽃을 심어 가꾸는 그릇이야. 나에게 흙을 담고 씨앗을 심어서 잘 기르면 예쁜 꽃이 자라나.

花분 무궁花

공부를 다 끝내면 **붙임딱지**에서 花를 찾아 92~93쪽에 알맞게 붙여요.

노래로 한자를 배워요

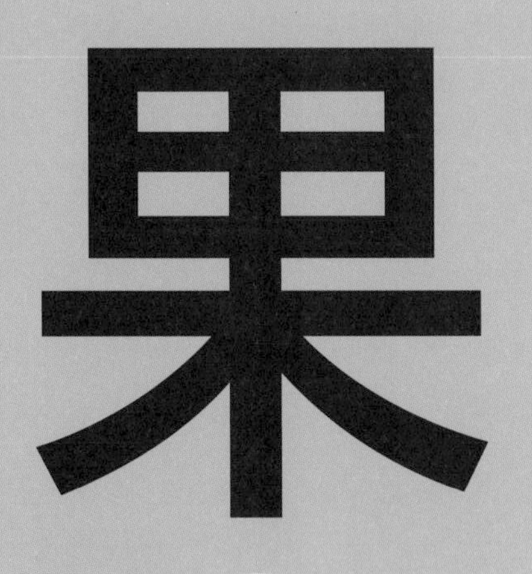

열매 과

주렁주렁 달린 열매

열매 과, 열매 과, 열매 과

한자를 차례대로 따라 쓰고, 뜻과 소리를 읽어요.

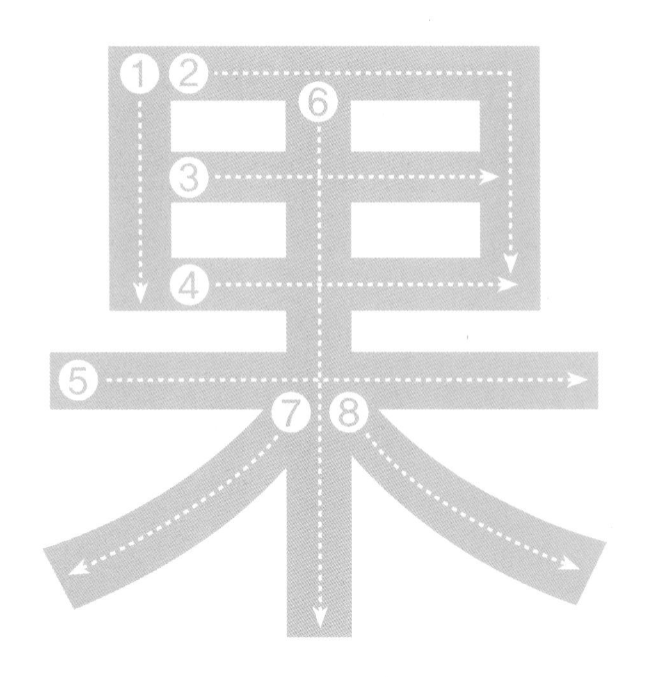

뜻	열매
소리	과

果 '열매 과'를 찾아요

果 '열매 과'를 찾아 따라 써요
果
果
果
果

果 나를 찾아 색칠해요

학부모 지도 TIP

'과수원'은 자녀에게 다소 낯선 낱말일 수 있으므로 과수원에 가 봤던 경험을 떠올려 보게 해 주시거나, 실제 사진을 보여 주시면서 쉽게 낱말의 뜻을 이해할 수 있도록 도와주세요. 그런 다음 果는 나무에 열매가 매달린 모습을 나타낸 글자로, '열매'를 뜻한다는 것을 이해시켜 주세요.

나는 사과나무의 열매야. 백설공주가 나를 먹고 깊은 잠에 빠졌어.

사果 | 果수원

나는 과일나무를 심어서 가꾸는 밭이야. 나는 맛있는 과일 열매로 가득해.

사果 | 果수원

공부를 다 끝내면 **붙임딱지**에서 果를 찾아 **92~93쪽**에 알맞게 붙여요.

같은 한자를 찾아요

魚 男 魚 鳥

花 市 門 花

果 王 果 母

牛 手 生 牛

길을 찾아가요

바르게 써요

물고기 어

꽃 화

열매 과

한자 카드를 완성해요

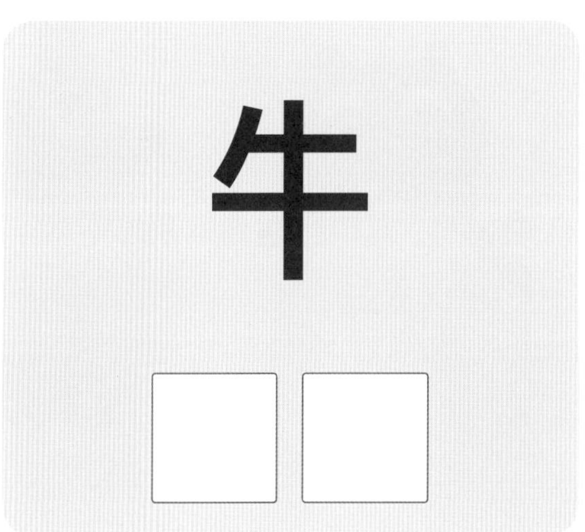

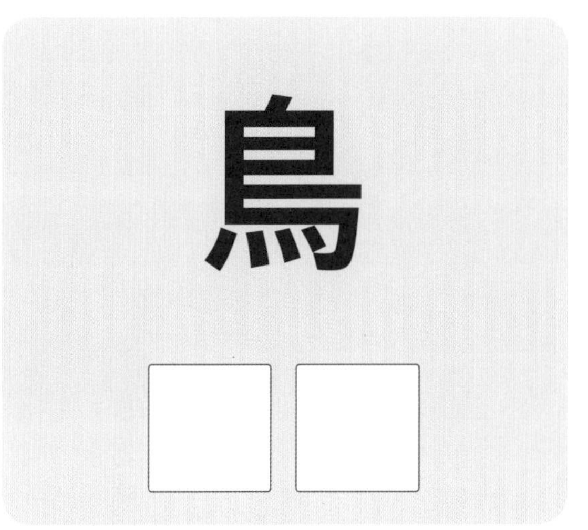

花

낱말을 만들어요

알맞은 한자를 찾아요

果 花

鳥 牛

상장

한자 탄탄 상

이름 ______________________

위 어린이는 7세 초능력 놀이 한자
2단계를 훌륭하게 마쳤습니다.
이에 칭찬하여 이 상장을 드립니다.

년 월 일

★ 8~9쪽에 붙이세요.

手 足 口

心 才

★ 36~37쪽에 붙이세요.

父 母 生

兄 人

★ 64~65쪽에 붙이세요.

男 女 王

門 市

★ 92~93쪽에 붙이세요.

牛 魚 鳥

花 果